Schi

RUGZAKAVONTUUR

RUGZAKAVONTUUR

www.rugzakavontuur.nl

Maren Stoffels

Schim in het bos

Tekeningen Els van Egeraat

Leopold / Amsterdam

Voor mijn tante Toos en ook nog een beetje voor Kairo

AVI 7

Eerste druk 2007

© 2007 tekst: Maren Stoffels

Omslag en illustraties: Els van Egeraat

Omslagontwerp: Rob Galema

Uitgeverij Leopold, Amsterdam / www.leopold.nl

ISBN 978 90 258 5176 7 / NUR 282/283

Inhoud

Schaduw

'Kairo!'

Tessels stem galmt over de sneeuwvlakte. Waar zit die hond? Waarom heeft ze hem dan ook geen riem omgedaan?

'Kairo!'

Stilte. Geen hond en ook geen sporen in de sneeuw. Alleen de witte vlakte met aan de overkant de donkere bosrand. Daar durft ze nooit te komen. Het idee dat er iemand zit...

'Kairo!'

De sneeuw kraakt onder haar nieuwe gympen. Haar sokken beginnen al nat te worden. Verdergaan heeft geen zin.

Als ze zich omdraait, hoort ze een geluid in de bosjes. Er beweegt ook iets.

'Is daar iemand?' fluistert ze.

Stilte.

Voetje voor voetje loopt ze terug. Ze duwt een tak opzij en stapt het bosje in. Ze haalt haar handen open aan een struik.

Dan ziet ze wel een spoor. Voetstappen in de sneeuw. Afdrukken van zo'n grote legerschoen, ziet ze meteen.

Boven haar hoofd klinkt een vogel. Tessel staat op en gaat terug naar de boerderij. Kairo is nergens te bekennen.

'Wat heb je gedaan?' Tante Marjan kijkt Tessel geschrokken aan. Ze heeft de riem van Kairo in haar handen.

Elke vakantie logeert Tessel bij Marjan, die als boswachter in het bos woont. Haar klasgenoten leek het saai, een weekje bij je tante, maar het is de leukste vakantie ter wereld. Behalve op dit moment.

'Ik heb nog zo gezegd dat hij aan de lijn moest. Hij is nog niet gewend hier, hij loopt alle kanten op.'

'Sorry.'

'Ja, daar heb ik wat aan.' Marjan gooit de riem op de grond. 'Ik was hem net aan het trainen. Hij begon eindelijk beter te luisteren en nu laat jij hem ontsnappen!'

'Ik deed het toch niet expres?'

'Waar ben je hem kwijtgeraakt?'

'Op de zandvlakte. Hij was ineens weg, ik heb echt overal gezocht.'

Marjan loopt naar de keuken en begint in een grote pan te roeren. Het ruikt heerlijk, maar Tessel heeft geen honger. Ze weet niet wat ze moet doen. Wat kan ze nog zeggen? Ze vindt het toch zeker zelf ook erg? Kairo is haar beste vriend.

'Hij kan dus overal zitten,' roept Marjan. 'Heb je enig idee hoe hard ik die hond nodig heb? Hij bewaakt de boerderij wanneer ik in het bos ben.'

Tessel voelt zich steeds kleiner worden. Ze veegt met haar voeten over het tapijt.

'Ik ga hem wel zoeken,' zegt ze.

Marjan kijkt op van de soep. 'Straks ben ik jou ook nog kwijt. Wat mag ik dan tegen je moeder zeggen?'

De gordijnen wiegen zachtjes mee met de wind en Tessel kruipt diep onder haar dekbed. Ze denkt aan haar eigen warme slaapkamer. Lag ze daar maar. Ze heeft al vaak bij

Marjan gelogeerd. Voor het eerst heeft ze heimwee.

En waar zou die arme Kairo nu rondlopen? Ligt hij ergens in de sneeuw te kleumen? Misschien heeft hij wel een ongeluk gehad.

Marjan heeft geen woord meer tegen haar gezegd. Onder het eten heeft Tessel nog een keer 'sorry' gezegd, maar Marjan bleef naar haar soep staren. Die maakt zich natuurlijk ook zorgen om haar hond.

Tessel zucht diep. Dat komt niet meer goed deze vakantie. Misschien moet ze morgen maar naar huis met de trein. Ze had nog zo gedacht dat dit een leuk weekend zou worden.

Is het hier nou echt zo koud? Tessel merkt dat ze moet plassen van die koude tenen.

De tegelvloer maakt haar nog kouder. Ze schuifelt op haar gevoel naar de deur, die piepend opengaat. Alles maakt geluid in deze boerderij.

Als Tessel heeft doorgetrokken ziet ze plotseling een lichtflits van buiten komen. Hij schiet heen en weer over het behang in de keuken. Tessel voelt haar hart bonken.

Ze sluipt naar de keuken. Waar is het licht? Ze tast. Dan ziet ze buiten een jongen staan. Een jongen met zwarte lange haren. Een inbreker? Hij kijkt niet vriendelijk.

'Marjan!' roept ze. Haar stem klinkt hees.

Er komt geen antwoord.

Eindelijk vindt haar hand de lichtknop. De keuken baadt in fel tl-licht. Tessel knippert met haar ogen.

De jongen is niet meer te zien. Huiverend kijkt Tessel om zich heen. Waar is hij gebleven?

Ze durft niet meer naar boven. Misschien is hij wel door een raam naar binnen gekomen.

'Marjan?' roept ze nog eens.

Dan laat ze zich tegen de muur zakken en bijt op haar lip tot ze bloed proeft.

Gekrabbel aan de deur. Nagels over hout. Een luide blaf. Tessel schrikt op.

Kairo!

Tessel hijst zich overeind, stijf van de kou. Ze kijkt goed rond of ze de jongen niet ziet. Dan doet ze voorzichtig de deur open.

Kairo springt tegen haar op en duwt haar op de grond. Zijn natte tong gaat over haar oren, neus en wangen.

Tessel slaat haar armen om hem heen en drukt hem tegen zich aan. Alleen al vanwege Kairo wil ze elke vakantie naar Marjan.

'Waar was je nou?' roept ze.

Kairo blaft nog een keer. Hij boort zijn natte neus onder haar oksel en blijft kwispelend liggen.

'Waarom ging je ervandoor?' vraagt Tessel zachtjes. 'Het is doodeng hier zonder jou.'

Kairo jankt. Tessel drukt een kus op zijn kop.

'Je hebt wel mooi die rondsluiper weggejaagd.'

'Wat heeft dit te betekenen?' Marjan komt slaperig de keuken binnen. Ze kijkt verrast naar Kairo.

'Hij is terug.' Tessel glundert. 'Hij is teruggekomen!'

Marjan grijpt haar hond beet en drukt hem tegen haar borst.

'Godzijdank,' hoort Tessel haar fluisteren. 'Hoe is hij eigenlijk teruggekomen?'

'Mag ik eerst wat drinken?' vraagt Tessel.

Marjan knikt. 'Warme chocomel?'

'Goed.'

Tessel kijkt hoe Marjan de chocomel opwarmt in een pannetje.

'Ben je niet meer boos?' vraagt ze.

Marjan lacht. 'Ach kind, ik was gewoon bezorgd om mijn hond. Het spijt me dat ik zo naar deed. Wil je nog wel blijven?'

Tessel zegt maar niks over haar gedachten van daarnet.

'Nou, vertel eens,' zegt Marjan als ze op de bank zitten. 'Hoe kwam hij nou ineens terug?'

'Hij kwam terug voor mij,' zegt Tessel. Ze brandt haar lip aan de beker.

'Voor jou?'

'Ja, ik was in paniek en Kairo kwam me troosten.'

'Waarom was je zo bang?'

'Er was een inbreker,' zegt Tessel zachtjes. 'Een grote jongen met lange haren.'

Marjan slaat een arm om Tessel heen. 'Meisje toch, die jongen maakte misschien gewoon een wandeling.'

'Hij wilde inbreken,' zegt Tessel.

'Was hij binnen?'

Tessel schudt haar hoofd. 'Hij liep buiten met zijn zaklamp te zwaaien.'

Marjan lacht. 'Maak je geen zorgen. Hier in Drenthe wordt niet zo snel ingebroken. Maar ik geef toe, het is prettig dat Kairo net op tijd terugkwam.'

'Ik geloof er niks van,' zegt Tessel zachtjes. Ze is de boze ogen van de jongen nog niet kwijt.

Ze drinkt haar beker leeg en Marjan geeft haar een zoen.

'En nu lekker slapen, morgen gaan we schaatsen.'

Tessel kijkt naar Kairo. Hij lijkt zich nergens druk om te maken. Was ze ook maar een hond.

'Welterusten Kairo,' fluistert ze.

Voor de zekerheid doet ze het schuifje voor de deur.

Gat in het ijs

Er valt sneeuw van de takken op Tessels haren. Het heeft vannacht nog meer gesneeuwd en het landschap lijkt wel een ansichtkaart. Het grote ven ligt midden in het bos en Tessel voelt zich er heerlijk vrij.

Tessel slingert haar tas met de schaatsen heen en weer. Ze prikken in haar benen.

'Er ligt al een paar centimeter ijs,' zegt Marjan. 'Dat hebben we nog niet eerder gehad. We moeten alleen wel oppassen. Op het nieuws hadden ze het over dunne stukken in het ijs.'

Tessel kijkt naar de schaatsters. Als dat waar is heeft niemand het nieuws gezien. Tientallen mensen schaatsen door elkaar en ook aan de kant is het druk. Bij een kraampje met warme chocomel staat een lange rij.

Tessel gaat automatisch achter Marjan lopen. Waarom moet nou perse het hele dorp hier komen schaatsen? Ze denkt aan het schoolplein bij school. Al die mensen, ze krijgt het er benauwd van.

Marjan gaat op de kant zitten en begint haar schaatsen vast te binden.

'Heb je wel lekker geslapen vannacht?' vraagt Marjan.

Tessel knikt. Ook al heeft ze de ene nachtmerrie na de andere gehad. Ze droomde over de jongen met de boze ogen.

Dat hij ineens naast haar bed stond met een blinkend mes. Hij wilde hij haar in stukjes snijden en aan Kairo voeren.

Toen is ze maar weer naar beneden gegaan. Tot diep in de nacht heeft ze spannende verhalen aan Kairo verteld om zichzelf wakker te houden. Maar dat vertelt ze Marjan maar niet.

'Heeft Kairo het niet koud?' vraagt ze daarom maar.

Marjan schudt haar hoofd. 'Die kan zelfs in de vrieskist leven.'

Tessel ziet Kairo al voor zich tussen de doperwtjes en pakken bladerdeeg.

'Wie het eerst bij die boom is!' Marjan hijst Tessel overeind en schaatst weg.

Tessel komt haar voorzichtig achterna. Haar ijzers glijden alle kanten op en ze gaat al snel onderuit. Ze schuift over het ijs en voelt haar onderbroek nat worden. Getverdemme.

Marjan komt snel terug en geeft Tessel een hand.

'Wat dacht je, ik ga op mijn billen verder?'

Tessel hoort gelach. Ze kijkt vuil om zich heen. Stomme mensen. Alsof zij het zo goed kunnen. Die kinderen schaatsen met stoelen voor zich uit. Zo kan zij het ook!

Met veel inspanning weet Tessel de boom te bereiken. Ze klemt haar armen eromheen.

'Help!' Een harde kreet klinkt over het meer. Een jongen met rood haar komt aangefietst over het besneeuwde pad. Hij slingert gevaarlijk, maar weet toch het ijs te bereiken.

'Is ene Marjan hier?'

Marjan komt aangeschaatst. 'Ja, dat ben ik.'

'U moet meekomen,' roept de jongen. 'Er is een ree in het prikkeldraad terechtgekomen.'

Marjan trekt snel haar schaatsen uit en doet de groene kaplaarzen weer aan.

'Tessel, kom je mee?'

Tessel ziet het bloedende dier al voor zich.

'Ga jij maar alleen,' zegt ze. 'Ik heb Kairo toch.'

Marjan kijkt even naar Kairo, die naar hen blaft. Hij zit met zijn rode riem aan een boom gebonden.

'Hij zit goed vast, maak je geen zorgen,' zegt Tessel.

Marjan zwaait nog even en verdwijnt dan in de drukte.

Tessel kijkt om zich heen. Allemaal vreemde mensen, ze krijgt er de kriebels van. Ze kan maar beter wat oefenen voor als tante straks terug is.

Ze valt nog drie keer, maar na een half uurtje gaat het beter. Ze schaatst een rondje over het ven en kijkt naar de oever, waar Kairo haar bewegingen volgt.

Behalve nu. Kairo rolt op zijn rug en laat zich aaien. Een jongen kroelt hem op zijn buik. Wat raar. Normaal heeft Kairo een hekel aan vreemde mensen.

Tessel kijkt nog eens naar de jongen. Ze knijpt haar ogen tot spleetjes en ziet de lange zwarte haren. Dit keer niet los, maar in een klein staartje. Haar hart begint te bonken. De inbreker! Hij moet met zijn poten van Kairo afblijven!

Boos schaatst Tessel naar de kant. Plotseling heeft ze geen grip meer. Haar rechterschaats tuimelt naar voren, en dan glijdt ze zo het wak in. Een ijzige kou snijdt door haar lichaam.

Tessel voelt haar benen nauwelijks meer. En het lijkt alsof er wel duizend messen in haar handen steken. Haar keel wordt afgeknepen. Ze krijgt er geen geluid meer uit. Zelfs haar lippen doen pijn.

Tessel slaat wild om zich heen, op zoek naar houvast, maar het ijs breekt aan alle kanten af. Ze dompelt tot haar borst onder water.

Ik moet eruit, denkt ze paniekerig. Ik moet blijven staan. Wanneer houden die zwaarden op met steken?

Ze probeert haar ogen open te houden. Alles wordt wazig. Ze hoort paniekerige stemmen van mannen en vrouwen.

'Laat mij maar.'

Tessel voelt plotseling een sterke hand om haar bovenarm.

'Pak mijn andere hand,' hoort ze zeggen.

Tessel grijpt in het duister. Ze kan niks meer zien. Dan voelt ze hoe haar andere hand ook beetgepakt wordt. Haar schaatsen komen los uit de modder en ze voelt harde ondergrond onder haar borst.

Langzaam maar zeker worden de zwaarden minder. De ijskou steekt niet meer. De wazigheid trekt weg en Tessel voelt hoe ze overeind wordt gehesen. Twee handen wrijven over haar schouders en iemand blaast haar handen warm.

Ze wil wat zeggen, maar haar mond lijkt wel dichtgevroren. Haar tanden klapperen.

'Ze moet droge kleren.'

Wie is dat toch?

'Eerst moeten haar schaatsen uit.' Iemand sjort aan haar voeten.

'Neem jij haar mee?'

Wie neemt haar mee?

Tessel voelt hoe haar benen beginnen te lopen. Dat kan dus nog.

'Gaat het?'

'Hmm,' perst Tessel eruit.

Ze kijkt opzij. De waas voor haar ogen verdwijnt en ze kijkt in een gezicht vol sproeten. Die beginnen meteen rond te draaien en Tessel knijpt haar ogen weer dicht.

De sproetenkop lacht. 'Kom, we gaan je opwarmen.'

Onder een vreemde douche

Natte kleren uit. Tessel voelt iemand aan haar onderbroek sjorren. Wacht eens even. Ze wil tegensputteren, maar ze laat het weer gaan.

Er klinkt gespat en even later glijdt er warm water over haar lijf. Met haar ogen dicht wrijft ze over haar billen, dijen en gezicht. Overal water, warm water. Ze kan er geen genoeg van krijgen. Het klappertanden verdwijnt en ze voelt hoe haar lijf begint te tintelen. Van haar tenen tot aan haar neus.

'Dit is beter, hè?'

De stem lijkt te zingen. Tessel doet haar ogen open en kijkt in het gezicht van een meisje. Een meisje met sproeten en rood haar.

Even later wordt haar lijf drooggewreven met een stugge handdoek. Haar lichaam begint te gloeien.

'Hier zijn droge kleren.' Het meisje bukt.

'Been omhoog,' beveelt ze.

Tessel kijkt naar beneden. Het meisje hijst een witte onderbroek via haar benen naar boven tot aan...

'Wat doe je!' Tessel grijpt de onderbroek beet en hijst hem zelf omhoog.

'Ik heb ook een hemd en een trui voor je. Een broek ligt daar.'

Tessels handen trillen als ze het hemd aan wil trekken.

Haar armen voelen alsof haar spieren van pap zijn.

'Geef nou maar,' zegt het meisje en ze trekt het hemd over Tessels hoofd. Dan de broek. En tot slot de trui. Hij ruikt naar schapen.

'Nu nog even je haar droog föhnen.'

Warme lucht blaast haar haren alle kanten op. Tessel kijkt via de spiegel naar het meisje dat haar haren in een staart bindt.

'Zo, dat was schrikken zeker?'

Tessel geeft geen antwoord. Wie is dit meisje? En waar is Marjan?

'Kom, ik maak wat warme chocomel voor je.' Het meisje gaat haar voor naar beneden.

Tessel gaat aan de grote keukentafel zitten. Ze wrijft haar handen over elkaar. Het lijkt wel alsof niks meer van haar is. Alsof ze een heel nieuw lichaam heeft gekregen.

'Hou je wel van chocomel?' Het meisje draait zich naar haar om.

Tessel knikt flauwtjes. Ze heeft wel zin in iets warms.

Als ze de beker aangereikt krijgt brandt ze haar handen. Ze zet hem snel op tafel neer. Er drijft ook nog een vel op.

'Ik red wel vaker mensen uit de vijver,' lacht het meisje. 'Jij bent de vijfde.'

Tessel slurpt en probeert het vel te vermijden.

'Ben je altijd zo stil?' gaat het meisje verder. 'Of heb je het nog steeds koud?'

Tessel schudt haar hoofd.

'Schaam je je? Maak je geen zorgen, hoor. Ik zie zo vaak blote mensen. Hier vlakbij is een naaktstrandje, daar lopen in de zomer alle soorten en maten.'

Zij kan dat wel gewend zijn, denkt Tessel. Ik niet. Ze voelt dat ze boos wordt. Dat meisje zette haar zonder te vragen onder de douche en bleef nog staan kijken ook. Daarna heeft ze haar aangekleed, alsof ze een kleuter is.

Tessel kijkt naar de grond. Ze wil hier zo snel mogelijk weg.

'Ik zal nog even sokken voor je pakken. Niet weglopen, hoor.'

Tessel kijkt om zich heen. De keuken ziet eruit als in een film. Een grote houten tafel in het midden. Boven het aanrecht een rij pollepels en pannen. Aan het plafond hangen kruiden te drogen. Het behang heeft bloemetjes en in de hoek staat een bank met dikke kussens.

'Daar ben ik weer. Zal ik even?'

Tessel pakt de sokken aan. 'Dat kan ik heus wel zelf.'

'Ook goed.' Het meisje glimlacht. 'Ik ben trouwens Bloem.'

Tessel lacht om de naam. Bloem?

'Hoe heet jij dan?'

'Tessel.'

Nu lacht het meisje voluit.

'Net zoals dat eiland!'

Die eeuwige grapjes over haar naam. Tessel doopt nijdig haar koekje in de chocolademelk. De helft breekt af.

'Nee, dat schrijf je anders.'

'Haha. Jij bent een eiland!'

'En jij hoort in een vaas!'

Bloem negeert haar snauwen en wijst op de beker.

'Nog wat drinken?'

Tessel schudt haar hoofd. Ze wil terug naar Marjan en Kairo. Ze wil weg van dit vreemde sproetenkind.

'Kom je even mee? Dan haal ik schoenen voor je. De jouwe liggen nog bij de schaatsbaan.'

Tessel loopt achter het meisje aan naar boven.

Bloem gooit een deur open en begint in een klerenkast te rommelen. De muren zijn zo fel roze en groen dat ze pijn doen aan Tessels ogen. Op een muur zijn bloemen getekend. Boven het bureau hangt een verzameling medailles en vaantjes.

Bloem gooit gympen voor Tessels voeten.

'Met wie was je eigenlijk?' vraagt Bloem. 'Je moeder?'

'Ik woon hier niet.' Tessel trekt de veters van de witte gympen strak. 'Ik logeer bij mijn tante.'

Bloem knikt. 'Gezellig.'

Tessel hoort aan Bloems stem dat het haar saai lijkt.

'Niet altijd, hoor. Marjan heeft een huis in het bos. Heel groot en eng. Door de bomen kan je niks meer zien. Zelfs geen moordenaars.'

Bloem kijkt Tessel verbaasd aan. 'Zijn die er dan?'

Tessel knikt. 'En beren. En slangen. Marjan had een keer een wurgslang in haar keuken. Ze kwam binnen om thee te zetten en toen kroop die slang om haar nek.'

Tessel kijkt even op. Bloem kijkt haar met grote ogen aan.

'Die slang bleef maar knijpen,' gaat ze verder. 'Marjan kreeg geen lucht meer. Ze probeerde hem te steken met een mes, maar het lukte niet. Gelukkig kwam Kairo kijken. Hij heeft de slang doodgebeten.'

Nu lacht Bloem. 'Er zijn geen wurgslangen hier.'

Tessel steekt haar neus in de lucht. 'Geloof je me niet?'

'Hoe durf je daar dan te slapen?' vraagt Bloem.

Tessel haalt haar schouders op. 'Ach, je doet gewoon je ogen dicht. Die slang was niet eens het ergste. Die keer met dat spook zal ik nooit vergeten.'

Bloem kijkt haar wantrouwend aan. 'Spoken?'

'Hele families.'

'Waar dan?'

'Op zolder. Marjan heeft een zolder met een geheim. Je kunt er niet lopen, want dan zak je door de vloer. Een keer is de kat erdoorheen gezakt. Die viel zo de woonkamer in!'

Bloem lacht.

'Maar spoken zitten er ook. Toen ik laatst niet kon slapen

ging ik naar de keuken om wat drinken te pakken. Toen hoorde ik vreemde geluiden. Ze kwamen van de zolder. Ik ging de krakende trap op en deed de deur naar de zolder open. Het was pikkedonker en ik zette voorzichtig één voet naar binnen.'

'Maar je kon daar toch niet lopen?' merkt Bloem op.

'Dat stukje wel,' zegt Tessel snel. 'Maar goed. Ik sta daar op de zolder en opeens klapt de deur achter me dicht. Ik probeerde weg te komen maar hij zat op slot. Achter me hoorde ik stemmen fluisteren. Zo eng. Marjan vond mij pas de ochtend erna. Ik heb er de hele nacht gezeten.'

Bloem is een beetje wit geworden.

'Wat een vreselijk verhaal.'

Tessel knikt tevreden. Die Bloem is nog banger dan zij!

'Waarvoor zijn die?' Tessel wijst op de medailles die aan de muur hangen. Een paar zilveren, maar de meeste goud.

Bloem haalt haar schouders op. 'Wedstrijdjes van school. Rekenen en taal.'

'Wie het snelst kan optellen?'

'Ook.'

'Voor de lol?'

'Ook.'

Alles achterstevoren

Tessels spieren doen nog steeds pijn, maar de kou is uit haar lijf. Ze probeert Bloem bij te houden. Tussen de bomen door ziet ze het bevroren ven al liggen.

'Waarom viel je eigenlijk?' vraagt Bloem.

'Ik lette niet op,' zegt Tessel.

Waarom ook alweer niet? Ze keek naar Kairo. Wacht eens. Er was iemand bij hem. Tessels hart slaat over. Die jongen. Die enge inbreker was bij hem!

Tessel begint te rennen. De gympen glijden alle kanten op, maar ze blijft overeind. Bij het ven kijkt ze zoekend om zich heen. Aan welke boom zat Kairo? Die dikke of die ene die over het ijs hangt?

Tessel rent paniekerig van boom naar boom, tot ze eindelijk iets roods ziet. Kairo's riem. De hond zelf is nergens te bekennen.

Bloem komt hijgend naast haar staan. 'Wat is er?'

Tessel houdt de rode riem omhoog.

'Mijn hond. Hij is weg!'

Bloem fronst. 'Hoe kan dat nou? Zat hij niet vast?'

'Natuurlijk wel! Iemand heeft hem gestolen!'

'Wie steelt er nou een hond?'

'Die jongen met die ogen.'

Bloem grinnikt. 'Je moet iets duidelijker zijn, hoor.'

Wat is ze stom geweest. Dit is al de tweede keer dat ze Kairo kwijtraakt. Dat vergeeft Marjan haar nooit!

'Ik ga hem zoeken,' zegt Tessel en ze loopt weg. Bloem komt achter haar aan.

'Waarom jat iemand jouw hond? Is hij geld waard, ofzo?'

'Die jongen,' zegt Tessel. 'Hij was gisteren de hele dag om ons heen. Eerst op de zandvlakte toen ik Kairo uitliet. En later in de nacht werd ik wakker en sloop hij rond het huis met een zaklamp!'

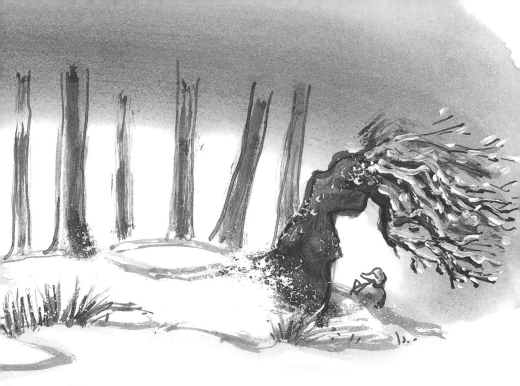

'En hoe weet je dat hij hier was?'

'Hij aaide Kairo,' roept Tessel. 'Hij zat met z'n poten aan mijn hond. En nu heeft hij hem ontvoerd.'

Bloems mond zakt open. 'Wat een lekkus!'

'Een wát?'

'Een lekkus. Ik mag niet schelden van mama, dus zeg ik scheldwoorden achterstevoren.'

Tessel kijkt Bloem aan. Wat een vreemd meisje. Die medailles voor school en dan die scheldwoorden. Wat kinderachtig.

'Dus als mijn zus vervelend doet zeg ik dremmots tegen haar?' zegt ze.

Bloem knikt. 'Je kan zo alles zeggen. Ouders hebben niks door.'

'Heb je dat geleerd bij die spellingwedstrijdjes?' vraagt Tessel spottend.

Bloem knikt. 'Ik kan alles omdraaien.'

'Ik ga Kairo zoeken.' Tessel loopt richting het ijs. Misschien heeft iemand hem gezien. Zo'n grote zwarte hond valt toch op?

Bloem snelt Tessel voorbij en groet een oude man en vrouw. 'Goedemiddag.'

Verbluft blijft Tessel half achter Bloem staan.

'De heldin,' zegt de man tegen Bloem. 'Dat was een goede redding van je net. Je vriendin zal wel geschrokken zijn.'

Hij knikt vriendelijk naar Tessel.

'Ik ben niet geschrokken en ik ben haar vriendin niet,' zegt Tessel. Ze kan heus wel voor zichzelf zorgen. Ze heeft Bloem niet nodig!

Bloem vraagt of ze een hond hebben gezien. 'Een grote zwarte, met een rode riem.'

De man stoot zijn vrouw aan. 'Hebben wij die gezien?'

'Dat zou best kunnen.' De vrouw bijt peinzend op haar lip.

Tessel wordt ongeduldig. Als die jongen er echt met Kairo vandoor is gegaan heeft ze geen tijd te verliezen. Ze moet achter hem aan!

'Volgens mij heeft zijn baasje hem meegenomen.'

Tessels schrikt. 'Wie?'

'Goh,' mompelt de vrouw. 'Een jochie, van jullie leeftijd.'

'Zwart haar?'

De man knikt. 'Kan.'

'Shit!' roept Tessel. 'Klote!'

De oudjes kijken haar geschrokken aan. 'Kindje, wat zeg je nu?'

'Tihs etolk,' zegt Bloem vriendelijk tegen de oudjes en ze trekt Tessel mee. 'Waarom doe je zo onaardig?'

'Iemand steelt een hond, en NIEMAND doet wat!'

'Misschien heeft die jongen Kairo niet gestolen.'

Tessel kijkt Bloem boos aan. 'Kairo is niet van hem! Dan heet dat stelen.'

Tessel zakt op een boomstronk neer. Ze steekt een takje in de sneeuw. Wat een puinhoop. Als Marjan straks terugkomt, wat moet ze dan zeggen?

Bloem komt naast Tessel zitten en legt een hand op haar knie. 'Het komt wel goed.'

Tessel trekt haar knie terug. Ze kijkt Bloem kwaad aan. 'Heb jij soms ook een medaille voor waarzeggen?'

'Wat ben jij een chagrijn.'

Tessel poert het stokje dieper de sneeuw in en wipt hem omhoog. De sneeuw komt een paar meter verderop neer. Ze kan inderdaad heel chagrijnig zijn, vooral bij mensen. Dat heeft ze al zo lang ze zich kan herinneren. Alleen bij dieren kan ze zichzelf zijn.

'Volgens mij heb ik hem gevonden.'

Tessel kijkt op. Bloem zit met haar hoofd tussen haar knieën en wijst op de sneeuw.

'Dat is hem.'

Tessel ziet een paar pootjes in de sneeuw. 'Weet je dat zeker?'

Bloem knikt. 'Die zijn van een hond. Ik heb thuis een boek over sporen. Ik kan vossen en zwijnen en reeën herkennen.'

'Hoe weet je dat ze niet van een andere hond zijn?'

Bloem kijkt om zich heen. 'Volgens mij was Kairo de enige hond hier.'

Opgelucht kijkt Tessel haar aan. Als dat zo is heeft Bloem gelijk en leiden de sporen rechtstreeks naar Kairo zelf! Ze kan wel juichen.

'Goed gedaan,' zegt Tessel als ze even later het spoor volgen.

'Dat is het eerste aardige wat je tegen me zegt,' antwoordt Bloem.

Alleen

Tot aan de bosrand gaat het goed. Dan houden de sporen op. Tessel kijkt zoekend om zich heen, maar er staan tientallen sporen door elkaar. De hondenpootjes zijn weg. Kwaad smijt ze een tak richting het ijs.

'Heb je nog meer goede ideeën?' roept ze naar Bloem, die achter haar loopt. 'Weg spoor, kijk dan!'

'Misschien heeft die jongen hem opgetild. Zo weten we niet waar hij heen is gegaan.'

Tessel kijkt naar Bloem, die in de verte tuurt. Ze krijgt het benauwd van haar. Die slímme Bloem, die medailles heeft voor rekenen. Ze pest niet, zoals Tessels klasgenoten. Maar ze is echt zo'n betweter. Tessel weet niet wat ze moet zeggen.

'Misschien moeten we hulp vragen,' stelt Bloem voor.

'Ik zoek wel in mijn eentje verder.' Tessel stapt het bos in.

'Laat me je helpen, ik ken het bos beter dan wie dan ook.'

Tessel voelt een kriebel opkomen. Ze voelt zich ineens vreselijk dom bij dit meisje. Bloem die sporen kan onderscheiden, Bloem die haar redde uit het wak, Bloem die het bos *beter kent dan wie dan ook*.

'Ja, jij weet alles beter,' zegt Tessel. 'Je hebt me gered, je hebt me onder de douche gezet, je hebt me aangekleed en nu denk je dat je mijn hond wel even terugvindt.' Tessel praat steeds harder. Ze kijkt Bloem boos aan. 'Dat je medailles hebt voor rekenen wil nog niet zeggen dat je beter bent!'

Ze ziet tranen in Bloems ogen staan. Het kan haar niks meer schelen. Ze kookt vanbinnen. Bloem is net zoals de stommeriken uit haar klas.

'Meisjes?'

Tessel draait zich om. Daar staat Marjan, die hen bezorgd aankijkt.

'Wat is hier aan de hand? Waar is Kairo?'

'Dus nou is hij weg,' eindigt Tessel haar verhaal. Onder tafel heeft ze een papiertje in honderd stukjes gescheurd. Ze schuurt nerveus met haar billen heen en weer op de stoel. Wordt Marjan nu weer zo boos?

'Ik kon er echt niks aan doen,' stamelt ze. 'Ik zweer het.'

Marjan kijkt verdrietig. Ze staat op en loopt om de tafel heen. Ze slaat haar arm om Tessels schouder.

Tessel snuift de geur van haar fleecetrui op. Een mix van sigarettenrook, natte hond en dennenboom. Ze wordt er rustig van.

'Meisje, ben je zomaar door het ijs gezakt?' Marjan drukt haar stevig tegen zich aan.

Tessel rilt weer als ze eraan denkt. Ze heeft het nog nooit zo koud gehad.

'En ik moest zo nodig een ree in het bos redden, terwijl mijn eigen nichtje...'

'Het geeft niks,' zegt Tessel snel. 'Ik ben goed geholpen.'

'En nu is Kairo weg,' mompelt Marjan. 'Waar kan hij zijn?'

'Die jongen heeft hem gestolen.'

'Welke jongen?' Marjan kijkt Tessel verbaasd aan.

'Die gisternacht rond ons huis sloop. Hij is een dieren-dief.'

Een feidnereid, denkt ze.

Marjan laat Tessel los en pakt de telefoon. Tessel nestelt zich op de bank en kijkt naar het vuurtje in de haard, dat zachtjes knettert. Op de radio klinkt een oud jazznummer en vanuit de keuken komt de geur van een ovenschotel. Maar zonder Kairo is er niks aan.

'Morgen ga ik hem zoeken,' zegt Marjan als ze de hoorn heeft neergelegd. 'Hij moet in de buurt zijn.'

'Mag ik mee?' vraagt Tessel.

Haar tante kijkt haar aan. 'Laten we morgen even kijken of je geen kougevat hebt.'

'Ben je nooit bang?'

'In m'n eentje bedoel je?'

'Je woont in zo'n groot huis, helemaal alleen. Nou ja, je hebt Kairo, maar toch.'

Marjan komt naast Tessel zitten en trekt haar wollen sloffen op de bank. 'Ben jíj wel eens bang?'

'Jawel,' zegt Tessel. 'Maar dan verzin ik verhaaltjes.'

Marjan knikt. 'En dat helpt?'

'Meestal wel.'

'Misschien moet je mij die dan maar eens leren,' zegt Marjan. 'Dan weet ik wat ik 's avonds in mijn eentje moet doen.'

'Ik ken een heel eng verhaal,' zegt Tessel. 'Toevallig is het echt gebeurd.'

'Laat me raden: over een wak en een dierendief?'

Tessel lacht. 'Precies.'

De geur van croissantjes komt de slaapkamer binnen. Tessel gooit de dekens van zich af en trekt snel haar kleren aan. De schapentrui en de wollen sokken van Bloem. Als ze de trui over haar hoofd trekt denkt ze weer aan gisteren. Waarom deed ze eigenlijk zo gemeen? Wat kon Bloem eraan doen dat Kairo weg was? Ze denkt aan Bloems woorden: *'Dat is het eerste aardige wat je tegen me zegt.'* Bloem heeft haar nog wel uit het wak gered.

In haar hart weet Tessel wel waarom ze zo snauwde: ze schaamde zich. Ze moest gered worden, als een kleuter. Bloem was zo vreselijk áárdig. Bloem bleef maar lief, zelfs toen Tessel flauw deed over de medailles. Dat irriteerde haar.

Snel schudt ze de gedachten van zich af. Het is gebeurd, ze kan er niks meer aan doen.

'Dag schone slaapster,' roept Marjan als Tessel de keuken in komt.

36

De tafel is gedekt en er staat een klein vaasje met twee sneeuwklokjes tussen de borden in. Marjan propt een boterham met jam naar binnen.

'Ik ga nu Kairo zoeken met de auto. Wil je mee?'

Tessel schudt haar hoofd. Ze heeft even geen zin meer om de kou in te gaan.

'Ik ben over een uur of drie terug.' Marjan drukt een jamzoen op Tessels wang.

Tessel ziet haar tante op de groene regenlaarzen door de sneeuw banjeren. Er is geen nieuwe sneeuw bijgekomen, maar er ligt nog altijd een dik pak. De groene auto toetert en hobbelt dan het bospad af.

Tessel wiebelt met haar benen heen en weer terwijl ze haar croissant eet. Waar zou Kairo nu zitten? Ze ziet hem voor zich, helemaal alleen. Hoe langer ze aan hem denkt, des te erger worden de beelden in haar hoofd. Kairo klappertandend van de kou. Kairo jankend van de pijn. Misschien ligt hij wel onder een boom dood te gaan. Heeft die jongen hem ergens gedumpt.

Waarom zit ze hier nog? Kairo heeft haar nodig!

Binnen twee minuten staat ze buiten. De kou slaat in haar gezicht. Ze trekt haar muts wat verder over haar oren en kijkt om zich heen. Er is niemand te bekennen. Waar moet ze beginnen met zoeken? Ze kan niet als een kip zonder kop rond gaan lopen. Straks verdwaalt ze.

De stem in Tessels hoofd blijft het maar herhalen. Ze weet dat de stem gelijk heeft. *Ik ken het bos beter dan wie dan ook...*

De slimme sporenzoeker

'Wat kom je doen?'

Bloem staat in de deuropening en kijkt Tessel vragend aan.

Tessel hupt van haar tenen op haar hakken. Ze wikkelt de rode riem van Kairo om haar hand.

'Ik kom je vragen of je mee gaat zoeken naar Kairo.'

'Waarom zou ik dat willen?'

'Omdat jij mij kan helpen.'

'Ik heb alleen maar medailles voor wiskunde,' zegt Bloem. 'Of ben je vergeten dat je dat gezegd hebt?'

Tessel kijkt naar de grond. Terecht dat Bloem kwaad is.

'Sorry.'

'Wat sorry?'

'Dat ik zo gemeen was,' mompelt Tessel.

Bloem lacht. Ze trekt Tessel aan haar mouw naar binnen. 'Jeetje, wat ben jij een slechte sorry-zegger.'

Tessel doet alsof ze beledigd is. 'Stommerd.'

'Hé, het is dremmots voor jou!' lacht Bloem.

Tessel kijkt hoe Bloem allerlei dingen in haar tas stopt: zaklamp, kompas, verrekijker, rol koekjes, flesje water en een lang stuk touw.

'Hebben we dat allemaal nodig?'

Bloem knikt. 'Jij hebt zeker nog nooit iemand gered?'

Nee, dat heeft Tessel inderdaad niet. Bij haar thuis is nog nooit iemand ontvoerd.

'Misschien moeten we dit ook maar meenemen.' Bloem houdt een boek omhoog: DIERENSPOREN.

'Dan kunnen we honden en vossen van elkaar onderscheiden,' lacht ze.

'Er sloop een keer een vos rond mijn tantes huis,' zegt Tessel. 'Toen Marjan buiten ging kijken zag ze een schaap in de wei liggen. Onder het bloed. Die vos had hem doodgebeten.'

Bloem gruwelt. 'Wat een vies verhaal.'

'Misschien komt hij nu wel achter ons aan,' zegt Tessel.

'Dat spoor van die vos was maar een grapje, hoor,' zegt Bloem snel. Ze ziet een beetje wit.

Bloem zit op haar hurken in de sneeuw. Ze wrijft met haar wanten over de grond. Ze slaat het sporenboek open en mompelt wat onverstaanbaars.

'Wat?' vraagt Tessel.

Bloem kijkt op. 'De sporen zijn vertrapt, kijk maar. Ik kan niet goed meer zien of ze van een hond zijn.'

'Dat wist je gisteren toch zeker?'

Bloem staat op. Ze slaat de sneeuw van haar knieën.

'Laten we in een grote boog om het meer heen lopen. De dierendief heeft hem vast opgetild om de sporen uit te wissen en verderop weer neergezet.'

'Denk je?'

'Als we om het meer heen lopen vinden we de sporen vanzelf terug.'

Tessel bijt op haar lip. Het klinkt best logisch wat Bloem

zegt. Leert ze dat soort dingen allemaal uit dat boek?

'Kom je nog, slome?' roept Bloem.

Tessel rent achter Bloem aan. Ze lopen samen het dichte bos in.

Tessel rilt even, maar ze laat zich niet kennen. Ze zijn samen. Dat is minder eng.

Tessel kijkt goed om zich heen. Bloem speurt de grond af.

'Dit is zeker je spannendste vakantie tot nu toe?' vraagt Bloem.

'Het is altijd beter dan snowboarden.'

'Doen je vrienden dat?'

Tessel kucht. Moet ze nou eerlijk zijn?

'Laat ook maar. Het gaat me niks aan,' zegt Bloem snel. Zou ze in de gaten hebben wat er is?

'Ik heb ook geen vrienden,' gaat Bloem verder. 'Ze vinden me allemaal te slim.'

'Ik heb best vrienden,' zegt Tessel boos. Ze kan er niet tegen dat Bloem doet alsof ze haar kent. Ook al is het waar. Thuis is Tessel altijd alleen. Ze kijkt naar Bloem, die een eindje voor haar loopt. Die vlechtjes en die gebreide sjaal. Wat is het toch met haar?

Bloem laat zich op haar knieën vallen en slaat haar boek weer open.

'Ik heb het gevonden!'

Op bladzijde twaalf ziet Tessel inderdaad een spoor dat veel wegheeft van het spoor in de sneeuw.

'Kijk,' zegt Bloem en ze wijst op de bladzijde. 'Dit is een hondenpoot in de modder, in het zand en in de sneeuw. Ze zien er telkens anders uit.'

'Dus deze pootjes moeten van Kairo zijn,' zegt Tessel blij.

Straks zit ze gewoon weer thuis met Kairo. Wat zal Marjan verbaasd zijn.

'En dit is de dierendief.'

Tessel kijkt naar het andere spoor. Een grote schoenaf-druk met kartelranden. Zo'n grote legerschoen. Zie je wel, ze wist het!

Hou je vast!

'Ik herken dat spoor!'

'Ja, het staat in het boek.'

'Nee, die schoen. Die stond ook in de sneeuw bij Marjan thuis,' roept Tessel. 'Die inbreker heeft Kairo gestolen.'

'Maar waarom wil hij die hond zo graag hebben?' vraagt Bloem. 'Dat is toch vreemd?'

Tessel kijkt het bos in. Door de bomen kun je niet echt ver kijken. Ze knijpt haar ogen tot spleetjes. Ziet ze daar iemand?

'Waarom wil…'

'Ssst.' Tessel grijpt Bloem bij de arm en trekt haar achter de boom. 'Kijk.'

De schim blijft staan.

Tessel en Bloem sluipen eropaf. Er kraakt een takje onder Tessels schoen. Ze schrikt. Heeft ze hen verraden? Maar de gedaante kijkt niet om.

Tessel wenkt Bloem. Ze moeten allebei van een andere kant komen. Een verrassingsaanval. Tessel kruipt achter de grote eik, ze is nu vlakbij. Ze houdt haar vingers op. Eén, twee, drie…

'Jaaaaa!'

Tessel springt achter de boom vandaan. Bloem stort zich op het zwarte gevaarte.

'Hij is het niet,' zegt Bloem beteuterd. In plaats van de dierendief omhelst ze een afgebroken boomstam.

Tessel schopt kwaad tegen de stam. 'Verdomme!'

'Emmodrev,' scheldt Bloem.

'We vinden hem nooit meer terug.' Tessel zucht. Ze gaat op een boomstronk zitten en slaat haar handen om haar benen. Waarom moest ze nou per se in dat wak vallen? Ze zou op Kairo letten!

'Doe niet zo somber, natuurlijk komt hij terug,' zegt Bloem. 'Waarom is de hond van je tante eigenlijk zo belangrijk voor je?'

Tessel haalt haar schouders op. 'Ik kan alles tegen hem zeggen.'

'Alles?'

'Ja, alles.'

'Waarom vertel je dat niet aan iemand die ook op twee benen loopt?'

'Omdat mensen niet te vertrouwen zijn.'

Bloem trekt haar wenkbrauwen op.

'Hoezo niet te vertrouwen?'

'Ze pesten, roddelen en maken ruzie.'

'Ik niet.'

'Dat zeg je nu,' zegt Tessel. Ook al gelooft ze Bloem wel. Bloem is anders dan de meisjes uit haar klas.

'Ik word altijd gepest op school,' zegt Bloem. Ze komt naast Tessel zitten, en trommelt met haar vingers op het boek. 'Ze vinden mij een stuudje.'

'Je hebt ook wel erg veel medailles.'

Bloem glimlacht. 'Nou en, als ik dat nou leuk vind?'

Tessel denkt even na. Zij vond Bloem zelf ook stom. Ze dacht dat Bloem zo'n opschepperig meisje was. Kijk eens hoe slim ik ben? Zoiets. Maar eigenlijk klopt daar niets van. Bloem vindt rekenen gewoon leuk, wat is daar erg aan? Ze weet vreselijk veel van de natuur en van sporen. Dat komt nu wel heel goed uit!

'Maar ik red me prima in mijn eentje,' gaat Bloem verder.

'Ik ook,' zegt Tessel snel.

Bloem staat weer op. 'Misschien moeten we even in een boom klimmen.'

Tessel kijkt omhoog. Die boom ziet er niet makkelijk uit. Hij heeft nauwelijks zijtakken. En waarom zou ze?

Bloem heeft haar handen al om de stam geklemd.

'Boven zien we veel meer,' roept ze. 'Dan hebben we die dief zo in het oog.'

Tessel
klimt Bloem
achterna. Niet
achterom kijken,
denkt ze. Straks val ik
nog. Het is niet makkelijk.
Je moet erg goed opletten waar je
je voeten neerzet.

Eindelijk kan Tessel zich optrekken
aan een grote tak.

Bloem hijst haar omhoog. Na een paar
minuten zitten ze tussen de takken, een
meter of vier boven de grond. Tessel durft
niet naar beneden te kijken.

Bloem gaat tegen de stam zitten en pakt
de verrekijker uit haar tas. De rest geeft ze
aan Tessel.

'Zie je wat?' vraagt Tessel.

Bloem schudt haar vlechten heen en weer.
'Nog niks... Wacht...' Ze draait wat aan het
knopje op de verrekijker en tuurt nog een keer
door de lenzen.

'Nee, dat is weer een boomstronk.'

Tessel grist het ding uit haar handen en kijkt.

'Kairo, waar ben je?' fluistert ze.

'Hij is hier niet.'

'Hij móét hier zijn!' Tessel zwaait met haar arm.

Ze merkt te laat dat ze Bloem een mep verkoopt. Er klinkt een gil en Tessel kijkt geschrokken opzij.

Bloem hangt aan de tak en bungelt met haar benen heen en weer. Onder haar is de diepte. Tessel slaat haar hand voor haar mond.

'Doe iets,' roept Bloem paniekerig.

Tessel steekt haar hand uit. 'Pak mij!'

'Dan val ik!'

Tessel ziet hoe Bloems vingers van de natte tak glijden. Nog even en ze valt.

'Het touw,' roept Bloem. 'Pak het touw.'

Tessel krijgt in paniek de rits niet open. Ze rukt er keihard aan. Ze graait tussen de spullen. Is dat touw sterk genoeg? Eén uiteinde bindt ze stevig vast aan de tak waar ze op zit. Een goede knoop. Hoe gingen die dingen ook alweer? Links over rechts, rechts over links?

'Schiet op, ik hou het niet meer!' Bloems linkerhand glijdt van de tak en ze probeert hem terug te grijpen. De hele tak schudt en Tessel grijpt zich geschrokken vast. Haar vingers trillen zo erg dat de knoop eerst mislukt. Nog een keer. Opschieten. Hèhè. Het andere uiteinde laat ze zakken.

'Pak het touw,' beveelt ze. 'Met je linkerhand.'

Bloem grijpt. Mis. Nog een keer.

'Ja, goed zo. En nu optrekken.'

'Zit het touw goed vast?' roept Bloem bang. 'Zo meteen val ik.'

Tessel kijkt naar de knoop. Ze weet het niet meer zeker. Heeft ze een goede knoop gelegd?

'Ik geloof het wel.'

'Je gelóóft het wel?!' roept Bloem.

'Doe het nou maar,' zegt Tessel. 'Snel.'

Bloem laat haar rechterhand los en grist razendsnel het touw beet.

Tessel hoort de tak kraken. Houdt hij dit?

Bloem kreunt. 'Dit is te zwaar.' Ze bengelt nu aan het touw boven de grond.

Tessel ziet de angst in Bloems ogen. Zo meteen valt Bloem naar beneden en is het haar schuld. Tessel grijpt het touw beet en begint uit alle macht te trekken. Zij is de enige die Bloem nu kan helpen. Bloem mag niet vallen.

'Zet je voet op die knobbel,' beveelt Tessel. 'Ja daar, goed zo.'

Stukje bij beetje klimt Bloem omhoog. Dan slaat ze haar been om de tak. Ze zitten hijgend tegenover elkaar. Bloem is helemaal rood van inspanning. Tessel ziet tranen over haar wangen lopen. Zelf moet ze op haar wang bijten om ze binnen te houden.

Bloem pakt Tessels hand. Haar vingers trillen als ze erin knijpt. 'Dankjewel,' hijgt ze.

'Graag gedaan,' fluistert Tessel. Ze veegt een bezwete pluk haar uit haar gezicht.

Twee zwarte schoenen

'Lekker stel zijn wij,' zegt Bloem. 'Jij in een wak, ik aan een boom.'

Ze lopen verder. Dit deel van het bos is een stuk donkerder. Tessel kruipt rillend in haar jack.

'We vinden hem nooit. Volgens mij kunnen we beter naar huis gaan.'

Bloem kijkt Tessel aan. 'Jij geeft ook snel op.'

'We lopen al ruim een uur rond te dwalen. Denk je dat we het spoor nog terugvinden? Die jongen is gewoon met Kairo naar huis gegaan. Als het straks begint te sneeuwen zijn de sporen weg.'

'Dan ga je naar huis,' zegt Bloem. 'Ik geef niet op.'

Tessel onderdrukt een kattig antwoord. Ze weet dat Bloem gelijk heeft: ze moeten blijven zoeken. Zuchtend loopt ze verder.

In de verte ziet Tessel iets roods in de sneeuw. Even denkt ze aan de riem van Kairo, maar die heeft ze bij zich.

'Wat is dat?'

Ze rennen ernaartoe.

'Bloed,' stamelt Bloem. 'Vers bloed.'

Tessel voelt haar maag omdraaien. 'Kairo...'

Bloem volgt het rode spoor. Tessel aarzelt. Stel je voor dat het bloed echt van Kairo is. Dat die jongen hem iets heeft aangedaan.

'Ik wil het niet zien.' Tessel blijft staan. Ze stopt haar handen in haar zakken.

'Waarom niet?' Bloem trekt aan haar arm. 'Jij bent toch altijd zo van de griezelverhalen?'

Tessel knikt. Verhálen ja, maar dit is echt.

'Nou, dan ga ik alleen. Ik roep je wel.' Bloem stapt verder door de sneeuw.

Tessel kijkt haar bewonderend na. Bloem is echt dapper.

Tessel gaat in de sneeuw zitten en denkt aan de jongen voor haar raam. Zou hij Kairo kunnen vermoorden? Hij leek er gevaarlijk genoeg voor. Die boze ogen, Tessel krijgt het er benauwd van.

'Tessel, moet je komen!' Bloems stem klinkt paniekerig.

Is het Kairo? Tessel vergeet haar angst en rent erheen. Bloem zit gehurkt op de grond en naast haar ligt een beest. Tenminste: wat ervan over is.

'Wat is het?' Tessel kijkt naar het hoopje bloed.

Bloem buigt zich voorover. 'Een haas, denk ik. Zo te zien was hij een maaltijd voor iemand.'

Tessel ziet de botjes uit het vel steken. Er kruipen beestjes over zijn vlees. Ze slaat haar hand voor haar mond. Straks geeft ze nog over!

'Denk je dat Kairo hem opgegeten heeft?' Tessel kan zich herinneren dat Kairo eens met een dode mol aan kwam zetten.

Bloem fronst. 'Dat kan, maar ik denk dat het een vos was. Zie je die keutels daar? Die zijn van een vos: wit met een pluis eraan. Die pluis komt van het haar van konijnen of muizen.'

'Of deze haas,' zegt Tessel.

'Het was Kairo dus niet,' mompelt Bloem.

Tessel voelt een traan opkomen. Hoe vinden ze hem ooit weer terug?

'Wist je dat mijn tante een keer een schaap kwijt was?'

'Ja,' zegt Bloem en ze stopt haar handen in haar zakken. 'Dat heb je al verteld.'

'Haar buik opengereten. Er lag bloed op het zandpad en haar ingewanden puilden naar buiten.'

'Het was toch in de wei?' zegt Bloem. 'En heb je nou nooit een leuk verhaal?'

Tessel denkt diep na. Ze kent eigenlijk alleen enge verhalen. Die onthoudt ze makkelijker.

'O, ik ken wel een leuke. Marjan was een keer in de wei een hek aan het repareren en toen heeft een ram haar aangevallen. Hij kwam aangestormd en ramde keihard tegen haar billen.'

Bloem giechelt.

'We hebben hem toen Rammie genoemd. Hij was heel gemeen, hij heeft een van zijn jongen platgedrukt tegen de schuurdeur.'

Bloem kijkt geschrokken. 'Zijn eigen kind?'

'Ja, hij moest toen afgemaakt worden. En Marjan kon weken niet meer zitten.'

'En Rammie is naar de slacht gegaan?'

Tessel knikt. 'We hebben hem opgegeten met kerst.'

Bloems ogen worden groot. 'Jij ook?'

Tessel knikt.

'Hij smaakte best lekker,' zegt ze stoer.

Bloem zwijgt. Tessel ziet dat ze onder de indruk is. Ze schaamt zich wel een beetje. In werkelijkheid waren het anderen die Rammie met smaak opaten. Zijzelf kon geen hap door haar keel krijgen.

'Vertel er nog eens een?' Bloem komt naast haar lopen. Ze hangt aan Tessels lippen. Eindelijk iemand die haar interessant vindt. Tessel wordt er blij van.

'Goed. Nog ééntje. Ik was een keer met mijn tante naar een stenenmuseum. Daar heb je mineralen en fossielen, heel mooi. Midden in het museum was een grote vijver met een paar schildpadden en twee krokodillen. Ik weet nog wat Marjan zei: "Zoiets hoort toch niet thuis in een museum?" zei ze. "Moet je kijken hoe laag dit hekje is. Ze zijn nep, natuurlijk." Je kon ze zo aanraken. En zij ons... Want ik wist zeker dat ze leefden. Zoiets voel je gewoon. Marjan bleef hardnekkig volhouden dat ze nep waren en toen zei ik: "Dan prik je ze toch gewoon?" Tante had een paraplu bij zich en ze boog zich voorover...'

'Was ze gek geworden?' roept Bloem. 'Weet je hoe gevaar-lijk die beesten zijn?'

Tessel grinnikt als ze aan het moment terugdenkt. Toen leek het allemaal heel logisch.

'Het spoor!' schreeuwt Bloem ineens. 'We hebben het spoor terug! Kijk, dit is het!' Ze hurkt en wijst. 'Deze zijn hartstikke vers!'

Eerlijk gezegd was Tessel de sporen een beetje vergeten. Bloem bleef dus zoeken terwijl Tessel vertelde.

'Goed van je,' zegt ze stroef.

Ze lopen een heuveltje op en blijven de sporen volgen. 'Nou, vertel verder,' zegt Bloem dan. 'Wat deed je tante bij die krokodillen?'

Tessel lacht. Ze doet het voor. 'Marjan boog zich voorover en prikte er eentje in zijn staart. Alleen die staart was al twee meter lang. De krokodil draaide zich met een ruk om. Ik zag zijn tanden blikkeren. Hij beet de helft van de paraplu eraf.'

Bloem slaat haar hand voor haar mond.

'En toen?'

'Er kwam een bewaker aan die haar streng toesprak. Over respect voor de dieren enzo. Marjan stond er maar zielig bij, met zo'n halve paraplu. Intussen had de krokodil de andere helft smakkend opgeslokt.'

Tessel kijkt opzij om te zien of Bloem haar gelooft.

'En ik maar denken dat krokodillen alleen vlees eten.' Bloem giechelt.

Dan is het Tessel die het als eerste ziet.

'Daar zijn ze!' Ze grijpt Bloem bij de arm en trekt haar ach-ter een boom.

Samen zien ze de jongen met Kairo spelen. Hij gooit een bal en Kairo brengt hem terug. Dat heeft tante hem vorige week pas geleerd. Kairo krijgt er geen genoeg van, hij blijft maar halen en brengen.

'We moeten hem roepen,' sist Bloem. 'En dan rennen.'

Tessel krijgt het benauwd bij het idee. Zo snel is ze niet. Misschien is die jongen wel kampioen in atletiek. Dan haalt hij hen zo in.

Kairo blaft hard. Hij wil de bal nog een keer halen. De jongen gooit hem nu heel ver. Kairo verdwijnt in de struiken.

'Nu,' zegt Bloem. 'Hij kan ons niet zien.'

Tessel rent gebukt achter Bloem aan richting het dicht-
gegroeide stuk. De takjes kraken onder haar schoenen en ze
voelt zich misselijk. Straks ziet de jongen hen!

'Daar is hij.' Bloem wijst op Kairo, die op een tak ligt te
kauwen. De bal lijkt hij vergeten te zijn.

'Kairo,' fluistert Tessel. 'Baasje is hier.'

Kairo kijkt op en kwispelt.

Kom dan, denkt Tessel.

'Gijs?' Een luide stem komt uit het bos. 'Kom dan hier.'

'Dat is 'm,' zegt Tessel paniekerig. Ze probeert Kairo te sei-
nen, maar die blijft liggen.

'We moeten erheen.' Tessel duikt op de grond en tijgert door de sneeuw. Binnen een paar tellen is ze bij Kairo, die haar gezicht likt.

'Ik heb je eindelijk gevonden. Nu laat ik je nooit meer gaan.'

'Gijs? Ik kom je halen, hoor.'

Tessel bindt snel de rode riem om Kairo's hals en trekt hem mee. Kairo piept. Zou hij ook bang zijn?

'Gijs, waar ben je nou?'

Tessel hoort aan het gekraak dat de jongen eraan komt. Ze drukt zich plat op de grond. Onder de struiken door ziet ze grote zwarte schoenen aankomen. Haar hart bonkt tegen de harde ondergrond.

'Gijs?'

Kairo piept zachtjes.

Tessel houdt zijn kaken op elkaar.

'Gijs? Waar zit je dan?'

Een luide blaf klinkt naast hen. Kairo's oren staan overeind en hij blaft nog eens.

'O jee,' fluistert Bloem.

De zwarte schoenen komen hun kant op.

Rennen voor je leven

'Niet omkijken!'

Tessel rent zo hard ze kan door het bos. Takken slaan in haar gezicht, sneeuw maakt haar sokken nat.

Naast haar rent Kairo. Voor haar maait Bloem de takken opzij. Tessel springt over een omgevallen boom. Ze voelt dat de jongen vlak achter haar is. Ze kan zijn adem bijna in haar nek voelen. Hete boze adem.

'Geef Gijs terug, stelletje dieven!'

Bloem lijkt wel te vliegen. Al snel heeft ze een grote voorsprong en af en toe verdwijnt ze achter struiken.

Hoe lang hou ik dit nog vol, denkt Tessel.

Kairo lijkt het leuk te vinden. De riem trekt hij telkens strak en Tessel heeft moeite hem bij te houden. Hij ziet dit vast als een spel.

'Ik krijg je heus wel,' klinkt de stem achter haar.

Sneller, sneller... Tessels benen lijken wel van pap. Ze rent tussen twee bomen door. Langs Bloem, die op haar hurken achter de ene boom zit.

Het volgende moment hoort ze een harde smak. Ze kijkt om. De jongen ligt languit. Zijn gezicht boort zich in de sneeuw.

Bloem laat het touw los en springt op. Het einde zit aan een boom vast. Ze heeft de jongen laten struikelen.

'Wegwezen,' zegt Bloem.

Ze rennen door tot ze bij de sneeuwvlakte zijn. Daar ligt Marjans huis al.

Hijgend doet Tessel het schuifje voor de deur. Ze schudt de sneeuw uit haar haren. Ze moeten snel Marjan bellen. Wat is haar nummer ook alweer?

'Dit is de voicemail van Marjan, spreek een bericht in na de...'

Piiiep.

'Met Tessel, we hebben hem. We hebben de dierendief. Hij had Kairo, ik...'

Tessel verslikt zich in haar woorden als er gebonk op de deur klinkt. Twee boze ogen kijken haar aan. Tessel gooit het toestel neer en kijkt naar Bloem, die zo te zien even bang is.

'Hij kan er niet in, toch?' Tessel probeert zichzelf gerust te stellen.

'Dat schuifje is niet zo sterk, we moeten een sleutel hebben.'

'Die heeft tante mee,' stottert Tessel.

'Emmodrev.' Bloem slaat met haar vuist op tafel. Het gezicht van de jongen is verdwenen. Zou hij weggegaan zijn? Dan hoort Tessel gemorrel aan de deur. Probeert hij hem open te breken?

'Ga weg,' roept ze. 'We bellen de politie!'

De jongen lacht. 'Ik kom alleen de hond halen. Geef hem mee, dan doe ik jullie niks.'

Bloem pakt Tessels arm. 'Niet doen, hij zegt maar wat.'

'Kom op, geef Gijs terug.'

'We denken er niet aan!' Bloems stem trilt niet eens.

Voor het eerst vraagt Tessel zich af waarom de jongen steeds achter hen en Kairo aan komt. En waarom noemt hij hem Gijs? Zou hij in de war zijn?

'Ik kom er heus wel in.' De jongen begint aan de deur te prutsen.

'We moeten weg hier,' roept Bloem. 'Hij gaat ons vermoorden!'

'Hoe weg? Er is maar één deur en daar staat hij voor.' Tessel kijkt om zich heen.

'We moeten ons verstoppen.' Ze hoort zelf hoe dom het klinkt. Die jongen vindt hen natuurlijk zo. Waar passen nou twee meisjes en een hond?

'We moeten naar de zolder,' fluistert Bloem. Ze kijkt Tessel doordringend aan. 'De zolder uit je verhaal.'

59

Vallen

Tessel gooit de deur naar de zolder open. Het is er donker en overal hangen spinnenwebben.

Beneden klinkt een knal.

Het slot, denkt Tessel.

'Waar zitten jullie! Gijs?'

Tessel geeft Bloem een duwtje. 'Opschieten. Over de balk. Dat is de enige plek waar je kan lopen.'

'Wil jij voor?' Bloem kijkt bang. 'Bij gym donder ik altijd van de evenwichtsbalk.'

'Dit is geen gym,' snauwt Tessel. 'Schiet op, dadelijk is hij boven!'

Bloem spreidt haar armen en balanceert naar de andere kant. Halverwege verliest ze haar evenwicht. Ze begint gevaarlijk te wankelen. Beneden hoort Tessel de jongen het huis doorzoeken.

'Waar zijn jullie?' brult hij.

Tessel kijkt naar Kairo. De hond begrijpt er vast niets van. Toch blijft hij bij haar. Dat stelt haar gerust.

'Kalm blijven,' zegt ze tegen Bloem. 'Niet haasten. Je rechtervoet voor de linker. Dwars over de balk. Goed zo. En nu verder.'

Zelf heeft ze ook moeite met rustig blijven. De stem van de jongen galmt door haar hoofd: *Ik krijg je heus wel.*

Bloem kruipt achter een oude archiefkast. 'Jullie passen er nog wel bij,' fluistert ze.

Kairo kijkt naar Tessel. Nu moet zij. Tessel zet haar gympen op de balk. Hij begint gevaarlijk te kraken. Hij houdt haar toch wel? Eindelijk kan ze haar laatste stap zetten. Kairo zit al bij Bloem.

Ze kruipt samen met Bloem en Kairo achter de oude archiefkast. Er kleeft een web aan haar gezicht. Ze veegt het snel weg.

Bloem slaat een arm om Tessel heen. Haar felle ogen geven bijna licht in het donker.

'Ben je bang?' fluistert ze.

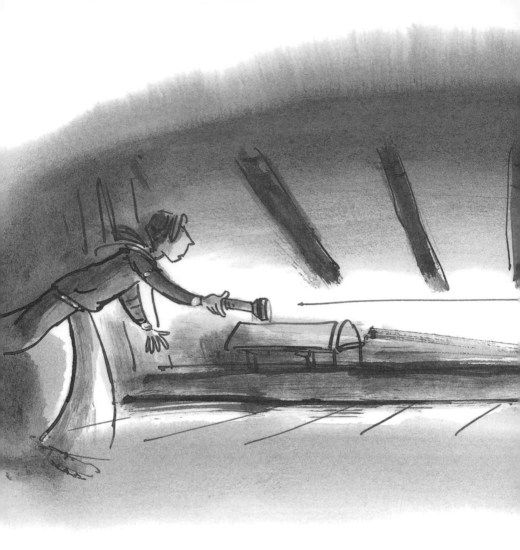

Tessel voelt Bloems hart tegen haar arm bonken.

'Ja,' zegt Tessel.

Het is nu geen tijd voor een spannend verhaal. Ze is bang en ze kan er niks aan doen. Gelukkig is Bloem bij haar.

Beneden klinkt een knal en dan een vloek. De jongen heeft zeker iets omgegooid.

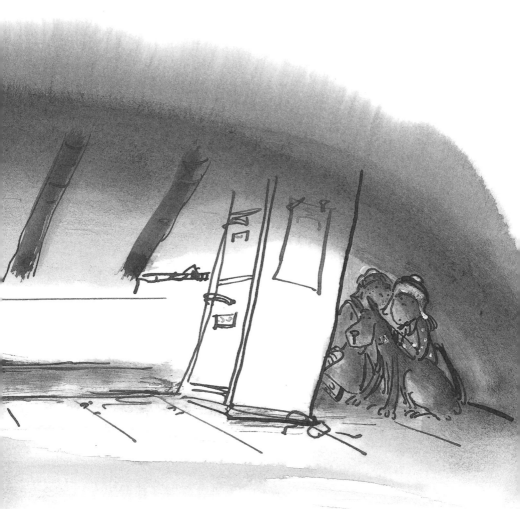

'Geef die hond terug,' brult hij.

Bloem knijpt in Tessels schouder. Kairo lijkt te begrijpen dat ze stil moeten zijn. Hij boort zijn neus onder Tessels oksel en Tessel aait hem over zijn kop.

De voetstappen van de jongen klinken op de trap. De deur gaat krakend open. Tessel kruipt nog wat dichter tegen Bloem aan.

Tessel hoort dat de jongen naar het licht zoekt. O nee, daar heeft ze helemaal niet aan gedacht. De hand van de jongen schuurt over de muur. Dan een klik.

Tessels hart springt bijna door haar keel naar buiten. Nu zijn ze erbij. Maar er gebeurt niks. De lamp is kapot, o gelukkig!

Opnieuw een klikje. Het licht van een zaklamp schiet door de ruimte. Kan de jongen hen zien vanaf daar? Tessel weet niets meer zeker.

'Ik weet dat jullie hier zijn. Dat kan niet anders. Kom nou maar tevoorschijn.'

Tessel voelt hoe Bloems handen klam worden. Zelf krijgt ze kramp in haar voet, die knelt tussen de kast en de muur.

'Gijs?'

Kairo beweegt een beetje. Hou je nou stil, seint Tessel, maar Kairo begint te kwispelen. Je heet geeneens Gijs, sukkel. Lekkus.

Het licht van de zaklamp schijnt tegen de kast. Tessel ziet dat haar ene gymp een klein stukje uitsteekt. Die geeft een reuzenschaduw op de muur.

'Daar zijn jullie.' De jongen lacht. 'Ik kom Gijs halen, goed?'

Tessel hoort zijn voetstappen. De vloer kraakt onder zijn gewicht. Hoe lang zal het duren voordat…

'Whaaa!'

Een harde bonk. Gekreun van beneden.

Tessel kijkt voorzichtig om de hoek van de kast.

'Hij is…,' zegt ze zachtjes.

'Door de vloer gezakt,' zegt Bloem.

Het verhaal van de dierendief

Bloem en Tessel steken hun hoofd om de kamerdeur. Het is één grote puinhoop van stukjes hout en stro. Midden in de troep ligt de jongen. Zijn rechterbeen ligt er vreemd bij en zijn gezicht is spierwit.

'We hebben hem vermoord,' stamelt Tessel.

Bloem loopt voorzichtig naar voren.

'Wat doe je?'

'Ik moet kijken of hij nog leeft.'

Bloem hurkt bij de jongen en Tessel pakt de telefoon. Ze tikt snel 112 in. Dan gaan de ogen van de jongen ineens open. Hij grijpt Bloems arm.

Tessel laat de telefoon vallen en schiet haar te hulp. De jongen is sterk. Zijn handen klemmen om Bloems polsen.

Als Tessel hem wil slaan geeft hij haar een duw. Ze valt achterover met haar hoofd tegen het hekje van de open haard.

Er klinkt gegrom achter hen. Kairo laat zijn tanden zien. De jongen laat Bloem geschrokken los.

'Rustig Gijs, ik doe ze niks.'

Kairo gromt nog steeds.

Tessel staat op. 'Ben je gek geworden? Ons zomaar aanvallen? Ik bel de politie.' Tessel pakt de telefoon. Ze hoeft alleen nog maar de belknop in te drukken.

'Nee!' De jongen wil opstaan, maar grijpt dan met een vertrokken gezicht naar zijn been.

'We hebben meer aan een ambulance nu, denk ik.' Bloem kijkt de jongen aan. 'Hou jij je dan rustig?'

De jongen knikt. Er komt langzaam weer kleur op zijn wangen. Nu hij niet meer boos kijkt, ziet hij er helemaal niet zo eng uit. Misschien is hij zelfs wel even oud als zij.

'Au!' Hij grijpt opnieuw naar zijn been. 'Wat is er gebeurd?'

Tessel hoort dat hij bang is. Vreemd, denkt ze, dat zo'n jongen ook bang kan zijn.

'Je bent door het plafond gezakt toen je onze hond wilde jatten,' zegt ze.

De jongen kijkt naar Kairo, die naast Tessel voor de bank zit. Zijn kop ligt op haar schoot en hij laat zich aaien. Bloem komt naast haar zitten.

'Zo,' zegt ze tegen de jongen. 'Dus jij denkt dat je stoer bent?'

In haar stem klinkt geen medelijden, vindt Tessel. Kan Bloem zich ook anders voordoen, zoals zijzelf?

De jongen doet zijn ogen dicht. Hij schudt zijn hoofd.

'En waarom heb je Kairo dan gestolen?'

'Gijs.'

Bloem lacht naar Tessel.

'Hij is op zijn hoofd gevallen, denk ik. Die hond heet toch Kairo?'

'Toen hij van mij was heette hij Gijs.'

Bloem trekt haar wenkbrauwen op.

'Vertel verder,' zegt Tessel.

De jongen kreunt. Hij probeert overeind te komen, maar

meteen zakt hij steunend achterover. 'Wie zijn jullie?'

'De eigenaars van de hond,' zegt Bloem.

'Tessel en Bloem,' zegt Tessel. Ze is niet bang meer voor hem. 'En jij?'

'Simon.'

'En nu moet je verder vertellen,' zegt Bloem.

Zijn gekronkelde been doet haar kennelijk niks. Tessel kan haar ogen er niet vanaf houden.

'Gijs is mijn hond. Ik heb hem als pup gekregen. Ik deed alles met hem samen. Voetballen, wandelen, zwemmen. Hij was mijn allerbeste vriend. Maar mijn moeder is allergisch

voor Gijs. Hij moest naar het asiel. Bovendien was ze ook nog eens doodsbang voor hem. Maar dat is toch nergens voor nodig? Kijk hem nou!'

Simon houdt zijn been stevig vast. Er lopen tranen over zijn wangen. Komt dat door het verhaal of de pijn?

'Hij doet toch geen vlieg kwaad?'

Tessel voelt dat ze boos wordt. 'Het is nu de hond van Marjan! Hoe haal je het in je hoofd om hem te stelen?'

'Ik wilde hem zo graag terug. Ik dacht niet eens aan zijn baasje.'

'Lekker makkelijk,' begint Bloem nu ook. Ze legt haar arm om Tessels schouder. 'Dankzij jou is Tessel in een wak gezakt.'

'En Bloem uit een boom gevallen.'

'We hadden wel dood kunnen zijn.'

Simons wangen worden rood. Zijn zwarte haar valt als een gordijn voor zijn ogen.

'Sorry. Ik deed het voor Gijs. Hoe zouden jullie het vinden als je hond ineens weg moest?'

Bloem kijkt Tessel aan.

Ergens snapt Tessel het wel: Simon heeft alles over voor de hond, is dat bij haar niet net zo? Zij werd toch ook gek toen Kairo ineens weg was? Anders Marjan wel.

'Het geeft je nog niet het recht...' zegt Tessel.

'Dat weet ik,' zegt Simon.

'Dus Kairo heette vroeger Gijs?' zegt Bloem. 'Wat een vreemd verhaal.'

'Hoe wist je eigenlijk waar Kairo nu was?'

Simon glimlacht. 'Ik kwam hem tegen in de stad, samen met zijn nieuwe baasje. Die vrouw die hier woont. Maar Gijs heeft maar één thuis, en dat is bij mij!'

'Marjan houdt van hem. Ze gaat hem echt niet aan je teruggeven,' zegt Tessel.

'Nee,' zegt Simon verdrietig. 'Dat kan ook eigenlijk niet zolang mijn moeder allergisch is.' Hij grijpt naar zijn been. 'Waar blijft die ambulance in godsnaam?'

Het is even stil. Dan klinkt in de verte de sirene.

Even later komen een man en een vrouw met groene jasjes binnen. Ze hebben een brancard bij zich en knielen gehaast bij Simon.

'Wat is er gebeurd?' De man kijkt omhoog en ziet het gat in het plafond.

'Hij is gevallen,' stamelt Bloem.

'Zij hebben me geholpen.' Simon wijst op hen. 'Ik moest wat van de zolder hebben en toen ben ik door de vloer gezakt.'

'Je hebt een gebroken been, jongen.' De vrouw en de man tillen hem op de brancard en vouwen de wieltjes uit.

Tessel en Bloem lopen mee naar buiten, gevolgd door Kairo.

'Wat ga je tegen je tante zeggen?' vraagt Simon voordat de deuren van de wagen dichtgaan.

Bloem kijkt Tessel aan. Ze knikt haar toe.

'We praten wel met haar, het komt goed.'

Kairo kwispelt en blaft luid.

'Het is oké, Gijs.' Simon perst er een glimlach uit. 'Je hoort hier.'

De deuren gaan dicht en de man en vrouw stappen in. 'Dag dames,' zegt de man als hij de wagen over het zandpad stuurt.

Tessel zucht diep. Ze draait zich om en bijt op haar wang.

Wat leek Simon verdrietig. Hij is zijn hond kwijt, voor de tweede keer.

Ze kan niet langer boos op hem zijn. Simon houdt van Gijs. Marjan en zij houden van Kairo. Het is niet eerlijk.

'Hé, niet zo somber kijken.' Bloem stoot Tessel aan. 'We hebben Kairo terug, daar ging het toch om?'

Tessel knikt. 'In het begin wel. Maar Simon... Ik vind hem zo zielig.'

'Misschien mag hij Kairo wel uitlaten van je tante.'

Tessel lacht. Dat is nog niet eens zo'n slecht idee.

'En nu wil ik warme chocomel, ik bevries helemaal.' Bloem loopt voor Tessel uit naar binnen. Tessel kijkt naar twee platte lijntjes in de sneeuw, waar de brancard reed.

'Kijk,' lacht ze. 'Staat deze ook in je sporenboek?'

Vrienden?

Tessel hoort Marjans auto het pad op rijden. Even later komt haar tante mopperend binnen.

'Niks,' roept ze. 'Hij is gewoon verdwenen!'

Dan ziet ze de ravage in de woonkamer. Haar halve plafond ligt op de grond.

Ze slaat haar hand voor haar mond. 'Wat is híer gebeurd?!'

Ze rent naar Tessel en slaat twee armen om haar heen.

'Ben je gevallen? Je weet toch dat je niet op die zolder moet komen?'

Tessel lacht. 'Kijk eens wie we hebben gevonden?'

Kairo komt achter de bank vandaan. Marjans mond valt open. Ze knielt op de vloer en begint haar hond te knuffelen. Tessel ziet dat de tranen in haar ogen staan. Ze steekt haar duim op naar Bloem.

'Hoe kan dit? Hoe hebben jullie... Waar...'

Tessel wijst op de thee die ze net heeft gezet.

'Ik denk dat je beter even kan gaan zitten. Het is een lang verhaal.'

Tessel zit samen met Bloem aan de keukentafel en ze hebben hun koude handen om hun beker gevouwen.

'Wie was die Simon precies?' Marjan wil alles weten. Tessel schraapt haar keel en wisselt een blik met Bloem uit.

'Kairo was vroeger van hem,' zegt Tessel. 'En hij wilde hem terug.'

Marjan kroelt Kairo door zijn vacht. 'Ja, ik heb hem uit het asiel. Maar Simon heeft Kairo dus gestolen?'

'Ja,' zeggen Tessel en Bloem tegelijk.

'En hoe hebben jullie hem teruggekregen?'

'Na lang zoeken,' grinnikt Bloem.

'En een paar ruzies.' Tessel probeert haar lachen in te houden.

Marjan heeft niks door. Ze lijkt veel te blij dat Kairo weer veilig thuis is.

'Nu loop je niet meer weg, hè, boef!'

Bloem kijkt op haar horloge. 'Het is al laat, ik moet naar huis.'

'Zal ik je even brengen?' vraagt Marjan. 'Je hebt nu al mijn nichtje én mijn hond gered.'

Bloem bloost. 'Nee hoor, ik red me wel.'

Tessel loopt mee naar de deur. Bloem leunt ongemakkelijk tegen de brievenbus.

'Nou, tot een volgende keer?'

Tessel knikt. Morgen gaat ze alweer naar huis. Net nu het leuk begon te worden! Mama zal haar niet geloven als ze thuiskomt.

'En als je weer gaat schaatsen, let dan wel op wakken.'

'En als je weer in een boom klimt, hou je dan wel stevig vast.'

'Lekkus.'

'Dremmots.'

Bloem lacht. 'Nou, tot ziens.' Ze steekt haar hand uit.

Tessel aarzelt even. Dan slaat ze haar armen om Bloem

heen. Heel even drukt ze haar tegen zich aan.

'Dankjewel voor alles.'

'Graag gedaan, eiland.'

Tessel veegt snel een traan weg. Dit was misschien wel haar beste vakantie ooit, en dat komt door Bloem. Eindelijk heeft ze iemand die haar niet uitlacht, die niet gemeen doet, die een vriendin kan zijn.

'Je moet wel langskomen hoor, de volgende keer als je hier bent.'

'Natuurlijk kom ik dan,' zegt Tessel terwijl ze Kairo aait. 'Hou je reddingsrugzak maar vast gereed.'

Tips voor een spoorzoeker

Wil jij net zo goed worden in spoorzoeken als Bloem? Dat komt mooi uit, want ik heb haar sporenboek even geleend. Wat een hoop sporen bestaan er! Dus wil jij er in je eentje op uit? Leer dan deze sporen uit je hoofd, dan kom je heelhuids thuis.

Slang

Tessel zegt dat er een wurgslang bij Marjan in de keuken zat. Dat kan dus niet, want die hebben we niet in Nederland. Tenminste, niet in het wild. Er zijn wel adders en hazelwormen. Hazelwormen doen niks dus ga niet op ze staan. Als je ze oppakt valt hun achterkant eraf. Dat is een soort bescherming. Akelig, hè! Hoe zou het zijn als je billen eraf vielen?

Eend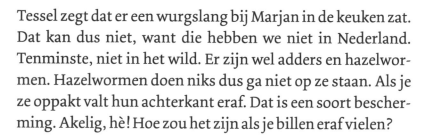

Hier hoef je dus niet bang voor te zijn, behalve misschien dat ze je boterham opeten. Eenden doen niets. Zwanen soms wel. Tessel kwam een keer te dicht bij een zwanennest en werd aangevallen. Volgens Tessel kan een zwaan met zijn vleugel je arm breken. Of zou dat weer zo'n verhaal van haar zijn?

Haas

Konijnen zie je vaak samen. Hazen meestal alleen.

Dierendief!

Heeft twee benen. Hou je hond in de gaten!

Stinkdier

Heeft je irritante zusje weer eens een scheet gelaten? Of ruik je misschien dit beest?

Wild zwijn

Deze heb ik weleens zien lopen.

Grizzly

Een reuzenstinkdier? Pas op: als deze beer rechtop staat kan hij wel drie meter hoog zijn. De meest agressieve beer die er is. Geef hem je pot honing en RENNEN!

Piraat

Als je dit spoor ziet kun je beter snel weggaan. Goede kans dat deze piraat met zijn houten poot je niet bijhoudt...